U0127109

（漢）曹操　（唐）杜牧等　注

十一家注孫子

六

國家圖書館出版社

孫子本傳

孫子武者齊人也以兵法見於吳王闔閭闔閭曰子之十三篇吾盡觀之矣可以小試勒兵乎對曰可闔閭曰可試以婦人乎曰可於是許之出宮中美人得百八十人孫子分爲二隊以王之寵姬二人各爲隊長皆令持戟令之曰汝知而心與左右手背乎婦人曰知之孫子曰前則視心左視左手右視右手後即視背婦人曰諾約束既布乃設鈇鉞即三令五申之於是鼓之右婦人大笑孫子曰約束不明申令不熟將之罪也復三令五申而鼓之左婦人復大笑孫子曰約束不明申令不熟將之罪也既已明而不如法

者吏士之罪也乃欲斬左右隊長吳王從臺上觀見且斬愛姬大駭趣使使下令曰寡人已知將軍能用兵矣寡人非此二姬食不甘味願勿斬也孫子曰臣既已受命爲將將在軍君命有所不受遂斬隊長二人以徇用其次爲隊長於是復鼓之婦人左右前後跪起皆中規矩繩墨無敢出聲於是孫子使使報王曰兵既整齊王可試下觀之唯王所欲用之雖赴水火猶可也吳王曰將軍罷休就舍寡人不願下觀孫子曰王徒好其言不能用其實於是闔閭知孫子能用兵卒以爲將西破彊楚入郢北威齊晉顯名諸侯孫子與有力焉孫武既死越絕書曰吳縣巫門外大冢孫武冢也去縣十里

後百餘歲有孫臏臏生阿鄄之間臏亦孫武之後世
子孫也孫臏嘗與龐涓俱學兵法龐涓既事魏得爲
惠王將軍而自以爲能不及孫臏乃陰使召孫臏臏
至龐涓恐其賢於己疾之則以法刑斷其兩足而黥
之欲隱勿見齊使者如梁孫臏以刑徒陰見說齊使
齊使以爲奇竊載與之齊齊將田忌善而客待之忌
數與齊公子馳逐重射孫子見其馬足不甚相遠馬
有上中下輩於是孫子謂田忌曰君第重射臣能令
君勝田忌信然之與王及諸公子逐射千金及臨質
孫子曰今以君之下駟與彼上駟取君上駟與彼中
駟取君中駟與彼下駟既馳三輩畢而田忌一不勝

而再勝卒得王千金於是忌進孫子於威王威王問
兵法遂以爲師其後魏伐趙趙急請救於齊齊威王
欲將孫臏臏辭謝曰刑餘之人不可於是乃以田忌
爲將而孫子爲師居輜車中坐爲計謀田忌欲引兵
之趙孫子曰夫解雜亂紛糾者不控捲救鬬者不搏
撠批亢擣虛形格勢禁則自爲解耳今梁趙相攻輕
兵鋭卒必竭於外老弱罷於內君不若引兵疾走大
梁據其街路衝其方虛彼必釋趙而自救是我一舉
解趙之圍而收弊於魏也田忌從之魏果去邯鄲與
齊戰於桂陵大破梁軍後十五年魏與趙攻韓韓告
急於齊齊使田忌將而往直走大梁魏將龐涓聞之

去韓而歸齊軍既已過而西矣孫子謂田忌曰彼三晉之兵素悍勇輕齊齊號爲怯善戰者因其勢而利導之兵法百里而趨利者蹶上將（魏武帝曰蹶猶挫也）五十里而趨利者軍半至使齊軍入魏地爲十萬竈明日爲五萬竈又明日爲二萬竈龐涓行三日大喜曰我固知齊軍怯入吾地三日士卒亡者過半矣乃棄其步軍與其輕銳倍日并行逐之孫子度其行暮當至馬陵馬陵道狹而旁多阻隘可伏兵乃斫大樹白而書之曰龐涓死于此樹之下於是令齊軍善射者萬弩夾道而伏期日暮見火舉而俱發龐涓果夜至斫木下見白書乃鑽火燭之讀其書未畢齊軍萬弩俱發

魏軍大亂相失龐涓自知智窮兵敗乃自剄曰遂成豎子之名齊因乘勝盡破其軍虜魏太子申以歸孫臏以此名顯天下世傳其兵法

十家註孫子遺說并序

滎陽鄭友賢 撰

求之而益深者天下之備法也叩之而不窮者天下之能言也爲法立言至於益深不窮而後可以垂教於當時而傳諸後世矣儒家者流惟苦易之爲書其道深遠而不可窮學兵之士嘗患武之爲説微妙而不可究則亦儒者之易乎蓋易之爲言也兼三才備萬物以陰陽不測爲神是以仁者見之謂之仁智者

見之謂之智百姓日用而不知武之爲法也包四種
籠百家以奇正相生爲變是以謀者見之謂之謀巧
者見之謂之巧三軍由之而莫能知之迨夫九師百
氏之說興而益見大易之義如日月星辰之神徒推
步其輝光之迹而不能考其所以爲神之深十家之
註出而愈見十三篇之法如五聲五色之變惟詳其
耳目之所聞見而不能悉其所以爲變之妙是則武
之意不得謂盡於十家之註也然而學兵之徒非十
家之說亦不能窺武之藩籬尋流而之源由徑而入
户於武之法不可謂無功矣頃因餘暇撫武之微旨
而出於十家之不解者略有數十事託或者之問具

其應答之義名曰十註遺說學者見其說之有遺則
始信益深之法不窮之言庶幾大易不測之神矣
或問死生之地何以先存亡之道曰武意以兵事之
大在將得其人將能則兵勝而生兵生於外則國存
於內將不能則兵敗而死兵死於外則國亡於內是
外之生死繫內之存亡也是故兵敗長平而趙亡師
喪遼水而隋滅太公曰無智略大謀彊勇輕戰敗軍
散衆以危社稷王者慎勿使爲將此其先後之次也
故曰知兵之將生民之司命國家安危之主也
或問得筭之多得筭之少況於無筭何以是多少無
之義曰武之文固不汗漫而無據也蓋經之以五事

校之以七計彼我之筭盡於此矣五事之經得三四者爲多得一二者爲少七計之校得四五者爲多得二三者爲少五七俱得者爲全勝不得者爲無筭所謂冥冥而決事先戰而求勝圖乾没之利出浪戰之師者也

或問計利之外所佐者何勢曰兵法之傳有常而其用之也有變常者法也變者勢也書者可以盡常之言而言不能盡變之意五事七計者常法之利也詭道不可先傳者權勢之變也守常而求勝如膠柱鼓瑟以書御馬趙括所以能書而不能戰易言而不知變也蓋法在書之傳而勢在人之用武之意初求用

於吳恐吳王得書聽計而棄已也故以此辭動之乃謂書之外尚有因利制權之勢在我能用耳

或問因糧於敵者無遠輸之費也取用必於國者何也曰兵械之用不可假人亦不可假於人器之於人固在積習便熟而適其短長重輕之宜與夫手足不相鉏鋙而後可以濟用而害敵矣吾之器敵不便於用敵之器吾不習其利非國中自備而習慣於三軍則安可一旦倉卒假人之兵而給已之用哉易曰萃除戎器以戒不虞太公曰慮不先設器械不備此皆言取用於國不可因於人也

或問兵以伐謀爲上者以其有屈人之易而無血刃

夫難伐兵攻城爲之次下明矣伐交之智何異於伐謀之工而又次之曰破謀者不費而勝破交者未勝而費帷幄樽俎之間而揣摩折衝心戰計勝其未形已成之策不煩毫釐之費而彼奔北降服之不暇者伐謀之義也或遣使介約車乘聘幣之奉或使間諜出土地金玉之資張儀散六國之從陰厚者數年尉繚子破諸侯之援出金三十萬如此之類費巳廣而敵未服非加以征伐之勞則未見全勝之功宜乎次於晏嬰子房寇恂荀彧之智也

或問武之書皆法也獨曰此謀攻之法也此軍爭之法也曰餘法槩論兵家之術惟二篇之說及於用誠其易用而稱其所難夫告人以所難而不濟之以成法則不足爲完書蓋謀攻之法以全爲上以破次之得其法則兵不鈍而利可全非其法則有殺士三分之災軍爭之法以迂爲直以患爲利得其法則後發而先至非其法則至於擒三將軍此二者豈用兵之易哉乃云必以全爭於天下又云莫難於軍爭難之之辭也欲濟其所難者必詳其法凡所謂屈人非戰拔城非攻毁國非久者乃謀攻之法也凡所謂十一而至先知迂直之計者乃軍爭之法也見其法而知其難於餘篇矣

或問將能而君不御者勝後魏太武命將出師從命

者無不制勝違敎者率多敗失齊神武任用將帥
討奉行方略罔不克捷違失指敎多致奔亡二者
幾於御之而後勝哉曰知此而後可以起武之意既
曰將能而君不御者勝則其意固謂將不能而君御
之則勝也夫將帥之列才不一槩智愚勇怯隨器而
任能者付之以閫寄不能者授之以成筭亦猶[illegible]世
責曹公使諸將以新書從事殊不識公之御將因其
才之小大而縱抑之張遼樂進守閤之偏才也合淝
之戰封以函書節宜其用夏侯惇兄弟有大帥之略
假以節度便宜從事不拘科制何嘗一槩而御之邪
傳曰將能而君御之則爲縻軍將不能而君委之則

爲覆軍惟公得武法之深而後太武神武庶幾公之
英略耳非司馬宣王安能發武之蘊哉
或問勝可知而不可爲者以其在彼者也佚而勞之
親而離之佚與親在敵而吾能勞且離之豈非可爲
歟曰傳稱用師觀釁而動敵有釁不可失蓋吾觀敵
人無可乘之釁不能彊使爲吾可勝之資者不可爲
之義也敵人既有可乘之隙吾能置術於其間而不
失敵之敗者可知之義也使敵人主明而賢將智而
忠不信小說而疑不見小利而動其佚也安能勞之
其親也安能離之有楚子之暗與囊瓦之貪而後吳
人亟肆以疲之有項王之暴與范增之隘而後陳平

以反間踈之夫釁隙之端隱於佚親之前勞離之策
發於釁隙之後者乃所謂可知也則惟無釁隙者乃
不可爲也

或問守則不足攻則有餘其義安在曰謂吾所以守
者力不足吾所以攻者力有餘者曹公也謂力不足
者可以守力有餘者可以攻者李筌也謂非彊弱爲
辭者衞公也謂守之法要在示敵以不足攻之法要
在示敵以有餘者太宗也夫攻守之法固非已實彊
弱亦非虛形視敵也蓋正用其有餘不足之形勢以
固己勝敵夫所謂不足者吾隱形於微而敵不能窺
也有餘者吾乗勢於盛而敵不能支也不足者微之

稱也當吾之守也滅跡於不可見韜聲於不可聞藏
形於微妙不足之際而使敵不知其所攻矣所謂藏
於九地之下者是也有餘者盛之稱也當吾之攻也
若迅雷驚霆壞山決塘作勢於盛彊有餘之極而使
敵不知其所守矣所謂動於九天之上者是也此有
餘不足之義也

或問三軍之衆可使必受敵而無敗者奇正是也受
敵無敗二義也其於奇正有所主乎曰武論分數形
名奇正虛實四者獨於奇正云云者知其法之深而
二義所主未白也復曰凡戰以正合以奇勝正合者
正主於受敵也奇勝者奇主於無敗也以合爲受敵

以勝爲無敗不其明哉
或問武論奇正之變二者相依而生何獨曰善出奇者曰闕文也凡所謂如天地江河日月四時五色五味皆取無窮無竭相生相變之義故首論以正合奇勝終之以奇正之變不可勝窮相生如循環之無端豈以一奇而能生變交相無巳哉宜曰善出奇正者無窮如天地也
或問其勢險者其義易明其節短者其旨安在曰力雖甚勁者非節量短近而適其宜則不能害物魯縞之脆也彊弩之末不能穿毫末之輕也衝風之衰不能起鷙鳥雖疾也高下而遠來至於竭羽翼之力安

能擊搏而毀折哉嘗以遠形爲難戰者此也是故麴義破公孫瓚也發伏於數十步之內周訪敗杜曾也奔赴於三十步之外得節短之義也
或問十三篇之法各本於篇名乎曰其義各主於題篇之名未嘗泛濫而爲言也如虛實者一篇之義首尾次序皆不離虛實之用但文辭差異耳其意所主非實即虛非虛即實非我實而彼虛則我虛而彼實不然則虛實在於彼此而善者變實而爲虛變虛而爲實也雖周流萬變而其要不出此二端而巳凡所謂待敵者佚者力實也趨戰者勞者力虛也致人者虛在彼也不致於人者實在我也利之也者役彼於

虛也害之也者養我之實也佚能勞之飽能飢之[illegible]
能動之者佚飽安實也勞飢動虛也彼實而我能虛
之也行於無人之地者趨彼之虛而資我之實也攻
其所不守者避實而擊虛也守其所不攻者措實而
備虛也敵不知所守者闘敵之虛也敵不知所攻者
犯我之實也無形無聲者虛實之極而入神微也不
可禦者乘敵備之虛也不可追者畜我力之實也攻
所必救者乘虛則實者虛也乖其所之者能實則虛
者實也形人而敵分者見彼虛實之審也無形而我
專者示吾虛實之妙也所與戰約者彼虛無以當吾
之實也寡而備人者不識虛實之形也衆而備己者

能料虛實之情也千里會戰者預見虛實也左右不
能救者信人之虛實也越人無益於勝敗者越將不
識兵之虛實也策之候之形之角之者辨虛實之術
也得也動也生也有餘也者實也失也靜也死也不
足也者虛也不能窺謀者外以虛實之變惑敵人也
莫知吾制勝之形者內以虛實之法愚士衆也水因
地制流兵因敵制勝者以水之高下喻吾虛實變化
不常之神也五行勝者實也囚者虛也四時來者實
也往者虛也日長者實也短者虛也月生者實也死
者虛也皆虛實之類不可拘也以此推之餘十二篇
之義皆倣於此但說者不能詳之耳

或問軍爭爲利衆爭爲危軍之與衆也利之與危也義果異乎曰武之辭未嘗有妄發而無謂也軍爭爲利者下所謂軍爭之法也夫惟所爭而得此軍爭之法然後獲勝敵之利矣衆爭爲危者下所謂舉軍而爭利也夫惟全舉三軍之衆而爭則不及於利而反受其危矣蓋軍爭者案法而爭也衆爭者舉軍而趨也爲利者後發而先至也爲危者擒三將軍也

或問兵以詐立以利動以分合爲變立也動也變也三者先後而用乎曰兵王之道兵家者流所用皆有本末先後之次而所尚不同耳蓋先王之道尚仁義而濟之以權兵家者流貴詐利而終之以變司馬法以仁爲本孫武以詐立司馬法以義治之孫武以利動司馬法以正不獲意則權孫武以分合爲變蓋本仁者治必爲義立詐者動必爲利在聖人謂之權在兵家名曰變非本與立無以自修非治與動無以趨時非權與變無以勝敵有本立而後能治動能治動而後可以權變權變所以濟治動治動所以輔本立此本末先後之次略同耳

或問武所論舉軍動衆皆法也獨稱此用衆之法者何也曰武之法奇正貴乎相生節制權變兩用而無窮既以正兵節制自治其軍未嘗不以奇兵權變而勝敵其於論勢也以分數形名居前者自治之節制

也以奇正虛實居後後者勝敵之權變也是先節制而後權變也凡所謂立於不敗之地而不失敵之敗修道而保法自保而全勝者皆相生兩用先後之術也蓋鼓鐸旌旗所以一人之耳目人既專一勇者不得獨進怯者不得獨退此何法也是節制自治之正法也止能用吾三軍之衆而已其法也固未嘗及於勝人之奇也談兵之流往往至此而止矣武則不然曰此用吾衆之法也凡所謂變人之耳目而奪敵之心氣是權謀勝敵之奇法也

或問奪氣者必曰三軍奪心者必曰將軍何也曰三軍主於鬬將軍主於謀鬬者乘於氣謀者運於心夫

鼓作鬬爭不顧萬死者氣使之也深思遠慮以應萬變者心主之也氣奪則怯於鬬心奪則亂於謀下者不能鬬上者不能謀敵人上下怯亂則吾一舉而乘之矣傳曰一鼓作氣三而竭者奪鬬氣也先人有奪人之心者奪謀心也三軍將軍之事異矣

或問自計及間上下之法皆要妙也獨云此用兵之法妙者何也曰夫事至於可疑而後知不疑者為明機至於難決而後知能決者為智用兵之法出於衆人之所不可必者而吾之明智了然不至於猶豫者其所得固過於衆人而過於法之至妙也所謂高陵勿向背丘勿逆蓋亦有可向可逆之機佯北勿從銳

卒勿攻亦有可從可攻之利餌兵勿食歸兵勿遏亦有可食可遏之理圍師必闕窮寇勿追亦有不闕可追之勝此兵家常法之外尚有反復微妙之術智者不疑而能決所謂用兵之法妙也

或問九變之法所陳五事者何曰九變者九地之變也散輕爭交衢重圮圍死此九地之名也一其志使之屬趨其後謹其守固其結繼其食進其塗塞其闕示不活此九地之變也九而言五者闕而失次也下文曰將通於九變之地利者知用兵矣將不通九變之利者雖知地形不能得地之利矣是九變主於九地明矣故特於九地篇曰九地之變人情之理不可不察也然則既有九地何用九變之文乎曰武所論將不通九變之利又曰治兵不知九變之術蓋九地者陳變之利故曰不知變不得地之利九變者言術之用故曰不知術不得人之用是故六地有形九地有名九名有變九變有術知形而不知名決事於冥冥知名而不知變驅衆而浪戰知變而不知術臨用而事屈此所以六地九地九變皆論地利而爲篇異也李筌以塗有所不由而下五利兼之爲十變者誤也復指下文爲五利何嘗有五利之義也絕地無留當作輕地蓋輕有無止之辭

或問凡軍好高而惡下太公曰凡三軍處山之高則

爲敵所棲豈好高之義乎曰武之高非太公之高也公所論天下之絕險也高山盤石其上亭亭無有草木四面受敵蓋無草木則乏芻牧樵採之利四面受敵則絕出入運饋之路可上而不可下可死而不可久此固有棲之之害也武之所論假勢利之便也處隆高丘陵之地使敵人來戰則有登隆向陵逆丘之害而我得因高乘下建瓴走丸轉石決水之勢加以養生處實先利糧道戰則有乘勢之便守則有處實之固居則有養生足食之利去則有便道向生之路雖有百萬之敵安能棲我於高哉太武棲姚興於天渡李先計令遣奇兵邀伏絕柴壁之糧道此興犯處

高之忌而先得棲敵之法明矣學孫武者深明好高之論而不悟處於太公之絕險知其勢利之便者後可與議其書矣

或問六地者地形也復論將有六敗者何曰恐後世學兵者泥勝負之理於地形也故曰地形者兵之助非上將之道也太公論主帥之道擇善地利者三人而委之則地形固非將軍之事也所謂料敵制勝者上將之道也知此爲將之道者戰則必勝不知此爲將之道者戰則必敗凡所言曰走曰弛曰崩曰陷曰亂曰北者此六者敗之道將之至任不可不察也是勝敗之理不可泥於地形而繫於將之工拙也至於

曰不可探測而蘊于中者情也見於施為而成乎[illegible]
外者事也情隱於事之前而事顯於情之後此用兵
之法隱顯先後之不同也所謂兵之情主速者蓋吾
之所由所攻欲出於敵人之不虞不誡也夫以神速
之兵出於人之所不能虞度而誡備者固在中情祕
密而不露雖智者深間不能前謀先窺也所謂為兵
之事者蓋敵意既順而可詳敵釁已形而可乘一向
并敵之勢千里殺敵之將使陳不暇戰而城不及守
者彼敗事已顯而吾兵業已成於外也故曰所謂巧
能成事者此也是則情事之異隱顯先後也
或曰九地之中復有絕地者何也曰興師動衆去吾

之國中越吾之境土而初入敵人之地壇場之限所
過關梁津要使吾踵軍在後告畢書絕者所以禁人
內顧之情而止其還遁之心也司馬法曰書親絕是
謂絕顧壹慮尉繚子踵軍令曰遇有還者誅之此絕
地之謂也然而不預九地者何九地之法皆有變而
絕地無變故論於九地之中而不得列其數也或以
越境為越人之國如秦越晉伐鄭者鑿也
或問不知諸侯之謀不能預交不知山林險阻沮澤
之形不能行軍不用鄉導不能得地利重言於軍爭
九地二篇者何也曰此三法者皆行師爭利出沒往
來遲速先後之術也蓋軍爭之法方變迂為直後發

先至之爲急也九地之利盛言爲客深入利害之爲大也非此三法安能舉哉噫與人爭迂直之變趨險阻之地踐敵人之生地求不識之迷途若非和鄰國之援爲之引軍明山川林麓險難阻阨沮洳濡澤之形而爲之標表求鄉人之習熟者爲之前導則動而必迷舉而必窮何異即鹿無虞惟入于林不行其野彊違其馬欲爭迂直之勝圖深入之利安能得其便乎稱之二篇不其旨哉

或問何謂無法之賞無政之令曰治軍御衆行賞之法施令之政蓋有常理今欲犯三軍之衆使不知其利害多方悮敵而因利制權故賞不可以拘常法令

不可以執常政噫常法之賞不足以愚衆常政之令不足以惑人則賞有時而不拘令有時而不執者將軍之權也夫進有重賞有功必賞賞法之常也吳子相敵北者有賞焉隆募士未戰先賞此無法之賞也先庚後甲三令五申政令之常也武曰若驅羣羊往來莫知所之李愬襲元濟初出衆請所向曰東六十里止至張柴諸將請所止復曰入蔡州此無政之令也

或問用間使間聖智仁義其旨安在曰用間者用間之道也或以事或以權不必人也聖者無所不通智者深思遠慮非此聖智之明安能坐以事權間敵哉

使間者使人爲間也吾之與間彼此有可疑之勢吾疑間有覆舟之禍間疑我有害己之計非仁恩不足以結間之心非義斷不足以決己之惑主無疑於客客無猜於主而後可以出入於萬死之地而圖功矣秦王使張儀相魏數年無效而陰厚之者恩結間之心也高祖使陳平用金數十萬離楚君臣平楚之亡虜也吾無間其出入者義決己之惑也

或問伊摯呂牙古之聖人也豈嘗爲商周之間邪武之所稱豈非尊間之術而重之哉曰古之人立大事就大業未嘗不守於正正不獲意則未嘗不假權以濟道夫事業至於用權則何所不爲哉但處之有道

而卒反于正則權無害於聖人之德也蓋盡在兵家名曰間在聖人謂之權湯不得伊摯不能悉夏政之惡伊摯不在夏不能成湯之美武不得呂牙不能審商王之罪呂牙不在商不能就武之德非此二人者不能立順天應人伐罪弔民之仁義則非爲間於夏商而何惟其處之有道而終歸于正故名曰權兵家之間流而不反不能合道而入于詭詐之域故名曰間所謂以上智成大功者眞伊呂之權也權與間實同而名異

或問間何以終于篇之末曰用兵之法惟間爲深微神妙而不可易言也所謂非聖智不能用間非微妙

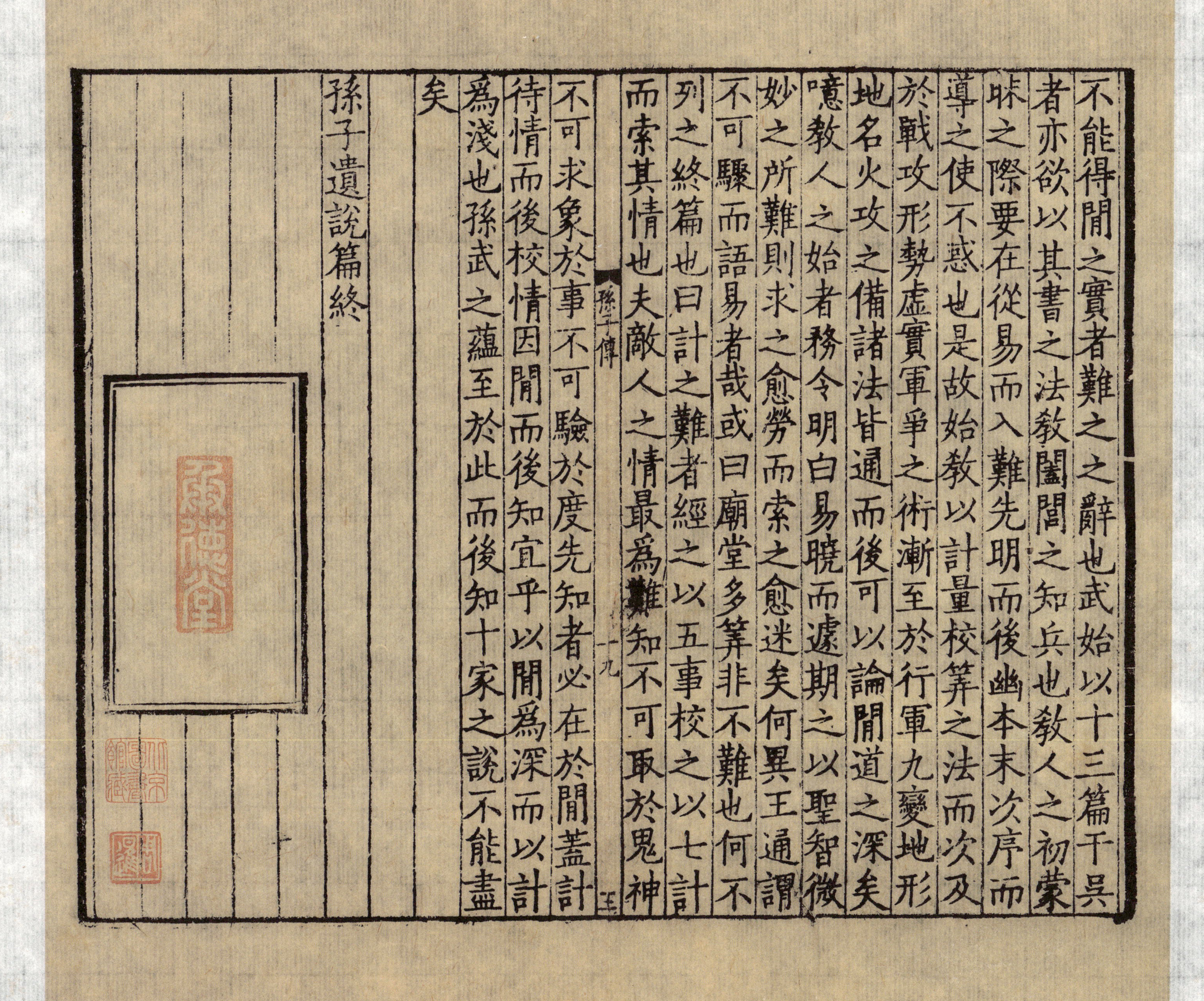

不能得間之實者難之之辭也武始以十三篇干吳者亦欲以其書之法教闔閭之知兵也教人之初蒙昧之際要在從易而入難先明而後幽本末次序而導之使不惑也是故始教以計量校筭之法而次及於戰攻形勢虛實軍爭之術漸至於行軍九變地形地名火攻之備諸法皆通而後可以論間道之深矣噫教人之始者務令明白易曉而遽期之以聖智微妙之所難則求之愈勞而索之愈迷矣何異王通謂不可驟而語易者哉或曰廟堂多筭非不難也何不列之終篇也曰計之難者經之以五事校之以七計而索其情也夫敵人之情最爲難知不可取於鬼神不可求象於事不可驗於度先知者必在於間蓋計待情而後校情因間而後知宜乎以間爲深而以計爲淺也孫武之藴至於此而後知十家之說不能盡矣

孫子遺說篇終